D0921647

À l'heure de nous

Sophie Bienvenu

Illustrations de
Salgood Sam

la courte échelle

Au skatepark, Kevin et moi avons fait une rencontre assez spéciale.
C'est Zacharie Moore, le gars là-bas.
Qui ?
A priori, tout le monde le connaît (sauf moi). C'est un ancien champion et il a sa propre compagnie de linge.
Dis donc, man, il est vraiment nice ton chandail. Tu l'as pris où ?
C'est LUI qui les fait !

JE M'ENNUIE D'ÉMILIE ET MEDHI. JE NE LES VOIS PAS VRAIMENT CES JOURS-CI.
T'étais où hier ?
Bof... un peu ici, un peu là...
JE FINIRAI BIEN PAR DÉCOUVRIR CE QU'IL ME CACHE.
AU MOINS, IL ME RESTE MON "AMI" KEVIN.
Demain, vous voulez venir réveillonner chez moi, toi et Matthias ?
J'ai jamais fait ça, moi, souper chez les parents de ma blonde.
JE SUIS SA BLONDE !
Salgood Sam

22:44 – A.n.i.t.a dit :
Devine qui vient réveillonner avec nous demain soir !

22:44 – Thomas dit :
Normand Brathwaite ?

22:44 – Thomas dit :
Carl Carmoni ?

22:44 – Thomas dit :
Lise Payette ?

22:44 – A.n.i.t.a dit :
T'es con.

22:45 – Thomas dit :
Ben là, tu me demandes de deviner...

22:45 – Thomas dit :
Marc-André Grondin ? ;)

22:45 – A.n.i.t.a dit :
ARRÊTE !

22:45 – A.n.i.t.a dit :
Kevin (mon *chum*) et son petit frère !

22:45 – Thomas dit :
Je croyais que c'était pas ton *chum*.

22:45 – A.n.i.t.a dit:
Hier, non, mais aujourd'hui, oui.

22:45 – Thomas dit:
Cool ! Félicitations, sœurette !

22:45 – Thomas dit:

Mais j'aurais préféré Marc-André Grondin. :P

22:45 – A.n.i.t.a dit:

T'es vraiment con. :)

Dernier message reçu le mardi 23 décembre à 22:45

Si on m'avait dit cet été, lorsque je travaillais au dépanneur et que je rêvais de lui, que Kevin, le beau gars du stationnement, Monsieur-la-lecture-c'est-pour-les-fifs lui-même, allait venir passer le réveillon chez moi et, SURTOUT, qu'il allait devenir mon *chum*, je ne l'aurais pas cru.

Faut-il que je commence à remercier tous les saints que j'ai priés, tous les dieux que j'ai implorés et tous les esprits que j'ai appelés à l'aide ? Que je sacrifie un animal ou une jeune vierge ?

Avec ma chance habituelle, ce serait moi, la jeune vierge ; alors, je vais plutôt choisir la première option et immoler l'araignée qui a tissé sa toile dans un coin de ma chambre.

Lorsque je descends déjeuner, mercredi matin, mes parents sont en grande conversation dans la cuisine. Ils délibèrent sur la question que je leur ai posée hier soir, tombée au souper comme un cheveu sur la soupe. Une perruque sur la soupe, mettons. « Est-ce que Kevin pourra dormir avec moi demain ? »

Enfin, je ne l'ai pas formulée exactement comme ça. J'ai un peu tourné autour du pot. J'ai commencé par soulever un enjeu social : le manque criant de transport en commun après une heure du matin, SURTOUT un soir de fête ; continué sur une analyse météorologique : il risque d'y avoir une tempête de tous les diables demain soir ; pour finalement conclure avec un problème d'éducation : le sommeil est important pour les jeunes enfants.

Tout ça pour en arriver à (préparez les applaudissements) :

– L'ennui, c'est que si vous comptez boire, demain soir, il n'y aura personne pour raccompagner Kevin et son frère chez eux... Parce que les autobus, y en a plus, passé une certaine heure... et, comme on annonce une super-tempête demain, ils ne pourront pas marcher. Si encore P.O. et Thomas rentraient chez eux, ils auraient pu les reconduire mais, comme ils dorment ici JUSTEMENT parce qu'ils savent qu'ils vont boire, ça ne marche pas. D'autant plus que, à son âge, Matthias ne peut pas rester debout si longtemps. Il pourrait faire une sieste dans la chambre d'amis pendant la soirée mais, même là, ce ne serait pas bon de le réveiller en plein milieu de son cycle de sommeil. Le mieux serait vraiment que Kevin et Matthias couchent ici. Et comme P.O. et Thomas vont prendre la chambre d'amis et qu'il n'y a qu'un lit simple dans l'ancienne chambre de Thomas, il faudrait que Kevin dorme avec moi. Mon lit est assez grand ; et puis, ce n'est pas comme si on n'avait jamais dormi ensemble...

La dernière phrase est sortie toute seule, dans le feu de l'action. J'aurais pu l'éviter mais, dans l'ensemble, j'ai fini ma tirade relativement fière de moi. Applaudissements, donc.

Devant mon argumentation hors pair, mes parents n'ont pas eu d'autre choix que d'accepter d'y réfléchir et d'en parler entre eux.

C'est donc de ça qu'ils discutent dans la cuisine, alors que je les espionne du couloir.

Ce n'est pas beau d'écouter aux portes. Je mérite un cadeau de Noël de moins (je propose de me passer de la sempiternelle robe de nuit que m'offre chaque année grand-maman).

– Ce serait quoi, ta solution, Louis ? La ceinture de chasteté ? demande ma mère.

– Par exemple, oui. Je n'ai jamais vraiment abandonné l'idée.

– Pourrais-tu être sérieux cinq minutes ?

– Je suis vraiment obligé de penser à ça ce matin, entre mon café et mes toasts ? Tu me gâtes avec tes sujets de conversation en ce moment, chérie. Entre ça et...

Et quoi ? La suite de cette discussion me l'apprendra peut-être...

– Oui, eh bien, ça ne sert à rien de se voiler la face : si c'est pour arriver, ça va arriver. D'ailleurs, si ça se trouve, c'est déjà fait. Alors, je préfère que ça se passe sous notre toit que dans le fin fond d'une ruelle sordide, à l'arrière d'une Honda Civic.

– Eh bien ! Tu t'es monté tout un scénario ! On ne va tout de même pas leur mettre de la musique douce et leur faire un lit de pétales de roses ! Dans notre temps, là...

– Tu m'énerves. Mange tes œufs.

– Pfffff... On fera ce que tu veux ; s'il faut qu'ils dorment ensemble, ils dormiront ensemble. De toute façon, on ne me demande mon avis que pour la forme, dans cette maison.

– C'est déjà pas mal, plaisante ma mère.

C'est à ce moment que je décide de faire mon entrée, en espérant que mes parents ne changeront pas d'avis sur le fait que Kevin sera autorisé à dormir avec moi cette nuit. Je jubile.

– De quoi vous parlez ?

Mon père boudant, c'est ma mère qui répond :

– On se disait que ton *chum* et son frère peuvent rester dormir à la maison cette nuit. On arrangera quelque chose dans l'ancienne chambre de Thomas pour le petit, et Thomas et P.O. prendront la chambre d'amis, comme prévu.

Mon cœur bat tellement fort que ça doit se voir, mais j'essaie de faire comme si de rien n'était (je commence à avoir de l'expérience là-dedans).

– Ouin... O.K. C'est cool !

Mon père lève les yeux au ciel et s'en va dans son bureau sans avoir touché à ses œufs.

(Je vais dormir avec Kevin.)

– À quelle heure ils arrivent, Thomas et P.O. ? que je demande à ma mère.

(Je vais dormir avec Kevin.)

– Je ne sais pas. Avec eux, rien n'est jamais sûr...

– Hum !

(Je vais dormir avec Kevin.)

– Et Kevin et son petit frère, tu leur as dit d'arriver à quelle heure ?

– Je sais pas... six ou sept heures ?

(Je vais dormir avec Kevin.)

– D'accord, c'est bien. Il est difficile, son petit frère ?

– Je sais pas, moi !

– Il n'a pas d'allergies ?

– Je sais pas.

– Et Kevin, il mange de tout ?

– Mais on s'en fout ! Je sais pas, maman !

– Ben là ! C'est ton *chum* et tu es tout le temps avec lui ; tu devrais savoir, non ?

Ma mère pense que nous passons nos journées, Kevin et moi, à énumérer des aliments pour savoir si nous aimons ça, ou si oui ou non nous avons des allergies. Ou alors que, avant de sortir avec lui, j'ai étudié son carnet de santé et son passé médical.

Dans deux minutes, elle me demandera son groupe sanguin.

Je vais dormir avec mon *chum*.

(K)

De: Moi
À: Kevin
Date: Mercredi 24 décembre
À: 18:43

Vous arrivez bientôt? :)

De: Kevin
À: Moi
Date: Mercredi 24 décembre
À: 18:44

Dring!

– Est-ce que je peux rester avec vous ? Ils ne me laissent pas jouer... me demande Matthias tout penaud, adossé au cadre de la porte de la cuisine.

Moi qui avais une petite appréhension sur la façon dont la soirée se déroulerait, me voilà servie ! Nous n'avions pas fini de déballer les cadeaux que mon père a entraîné Kevin, Matthias et Thomas au sous-sol pour jouer à *Rock Band* (sans nous inviter, P.O., ma mère et moi, puisque nous sommes NULS). Quelques minutes plus tard, Matthias remontait se joindre à nous, déçu.

Si ça continue, c'est avec le petit frère de mon *chum* que je vais dormir, pendant que ce dernier entretiendra sa tendinite sur une guitare en plastique.

Alors que maman, P.O. et Matthias entament une discussion des plus passionnante sur la couleur originale des carottes avant qu'elles deviennent orange, je décide d'aller voir ce que font mes stars du rock.

Au sous-sol, papa s'époumone sur une toune de The Who, Kevin est concentré sur sa guitare comme si sa vie en dépendait et Thomas tape comme un sourd sur la batterie.

On pourrait penser que le résultat est correct, mais ça ressemble plutôt à un chat qu'on égorge pendant qu'un enfant frappe sur des boîtes de carton et qu'un autre s'amuse avec la télécommande de la télé. Allume le son, éteint le son, allume le son, éteint le son...

On est loin de Pete Townsend et de son *band.*

Résultat, leur score final est plus que décevant, ce qui irrite profondément mon père, le plus mauvais perdant qui soit.

– La télé doit être mal calibrée. C'est écrit dans le manuel que ça peut arriver parfois. Kevin, tu saurais l'arranger ?

– Non, p'pa, je pense que ça n'a rien à voir avec la télé ; on n'est juste pas bons, plaisante Thomas.

– Qu'est-ce que tu racontes ? J'étais dans un groupe dans le temps, tu sauras ! Je suis simplement un peu rouillé...

– Je peux jouer ? que je tente timidement.

Kevin et mon père me répondent en même temps, pendant que Thomas s'entraîne aux drums :

– Ouais.

– Pas tout de suite, pas tout de suite. On commence à peine à se réchauffer, là. Tu vas nous faire perdre notre rythme. Mais tu peux t'installer ici pour nous encourager. Allez, on la refait, les gars !

Si Kevin n'était pas là, j'irais me plaindre à ma mère que papa ne me laisse pas jouer, mais je ne veux pas avoir l'air d'un bébé. Je décide donc de rester pour les écouter jusqu'à ce que mes oreilles saignent (ce qui ne devrait pas tarder).

La chanson s'arrête après quelques (fausses) notes, sous les huées de la foule virtuelle.

– Vous êtes pas super-bons, hein... que je remarque.

Kevin me fait un clin d'œil.

– Ça allait très bien avant que tu arrives. Là, on se sent observés... Et puis, ce n'est pas aussi facile que ça en a l'air ! Essaie donc, pour voir.

– O.K., prête-moi ton micro !

– Non, pas tout de suite. On a dû régler le niveau à *hard*, alors c'était trop difficile, là. Kevin, descends-le d'un cran...

– C'était à *easy*, ça peut pas être plus facile, le renseigne Kevin.

– Hum ! Bizarre... Ça doit être parce que ce n'est pas la version du jeu que je connais...

Thomas échange un regard complice avec Kevin, qui essaie tant bien que mal de retenir son sourire. Sans se rendre compte de la mutinerie qui menace son groupe, mon père me suggère d'aller voir ailleurs si j'y suis :

– Ce que tu pourrais faire, Anita, c'est aller nous chercher quelque chose à boire...

Lorsque je sors de la pièce en soupirant, Kevin propose de changer de chanson pour en choisir une plus simple ou d'échanger les instruments.

– Non, non, moi, mon instrument, c'est ma voix ! Le reste, c'est pas mon truc...

– Eh bien ! qu'est-ce que ça doit être... marmonne Thomas.

Il a fallu que ma mère mette son poing sur la table et menace de débrancher la console pour que les rockeurs se joignent à nous pour manger.

Au cours de la soirée, j'ai dû bâiller une bonne centaine de fois, répéter que j'allais bientôt aller me coucher et lancer d'autres invitations peu discrètes pour que Kevin finisse par comprendre le message. Il est finalement monté avec moi dans ma chambre, ce qui a amené mon père à me traiter de Yoko Ono, briseuse de *band*.

Nous voilà donc, Kevin et moi, juste tous les deux. Moi, assise sur mon lit, lui, l'air empoté, debout à côté de la porte.

Je tapote le matelas à côté de moi pour l'inviter à s'asseoir. Il s'exécute.

– Il est vraiment cool, ton père. Il s'y connaît *full* en musique.

– Hum !

– Ton frère aussi, il est cool. Yé vraiment drôle...

– Ouais...

J'attends ce moment depuis le début de la soirée et le voilà qui me fait un compte rendu détaillé de ma famille !

– Ta mère aussi...

– Oui, elle est cool aussi, je sais, que je l'interromps avant de me jeter sur lui pour l'embrasser.

Ma première fois est un moment très difficile à raconter, impossible à résumer, trop précieux pour être propagé.

Kevin a fait disparaître les questions que je me posais avant que je ne me les pose, et nos corps se sont trouvés comme s'ils se connaissaient depuis plusieurs vies et qu'ils venaient de se rejoindre après une longue séparation. Une porte s'est fermée avec, derrière elle, la bousculade d'émotions, laissant place à une plénitude rassurante.

Je suis heureuse avec tout mon corps.

J'aimerais trouver les mots pour transmettre à Kevin ce qui se passe dans ma tête en ce moment. Je voudrais qu'il soit de nouveau en moi, que nous ne fassions plus qu'un pour qu'il comprenne ce que je ressens et qu'il soit conscient du bonheur qu'il m'apporte.

Je pourrais également essayer de le formuler.

– Ça a peut-être saigné un peu, que je lui dis.

Bel essai.

– C'est pas grave.

Il m'embrasse sur le front avant de continuer :

– Moi aussi, c'était la première fois que je faisais l'amour.

Dans la pénombre, il a dû entendre mon sourcil incrédule se lever. Il s'explique donc :

– J'ai couché avec une couple de filles... mais c'était la première fois que je faisais l'amour.

– Explique.

– Ah... Anita ! Je suis pas bon avec ces affaires-là...

– Mais oui, je suis sûre que tu vas y arriver, que je l'encourage en m'accoudant pour mieux le voir.

– Je t'ai déjà dit que toi et moi, c'était spécial. J'avais jamais vraiment eu envie d'avoir une blonde avant toi. J'avais jamais été amoureux. Normalement, les filles, elles finissent par me gosser, mais toi, tu me gosses jamais. J'ai tout le temps envie d'être avec toi. Quand je suis pas avec toi, je pense à toi... pis ça me donne envie de faire plein d'affaires.

– De faire plein d'affaires ?

– Ouais... je sais pas... j'ai envie de devenir le gars que tu vois quand tu me regardes. Il a l'air cool...

Ma gorge se serre. Une chance qu'il n'est « pas bon avec ces affaires-là », sinon je me mettrais à pleurer d'émotion. Il continue sur sa lancée :

– J'ai envie que tu fasses partie de ma vie. J'ai envie de te faire de la place. En fait, j'ai envie que tu remplisses la place que je savais pas qu'il y avait. Mais ça a pas de sens, ce que je dis...

Je réussis à articuler un timide « oui » en hochant la tête et en posant la main sur son torse.

– Fak c'est ça, t'sais... Ça fait un bout que je peux compter rien que sur moi... Avec Matthias, la mort de Sylvain, ma mère et tout... Pis là, t'es arrivée, alors que je m'y attendais pas. Tu t'es installée dans ma vie et tu m'as montré que c'était, genre... reposant... de faire confiance à quelqu'un. Pas reposant dans le sens de platte, t'sais. Juste... de savoir que t'es pas tout seul et que tu peux faire confiance à quelqu'un... C'est *hot*.

Le cœur serré, les larmes coulant sur mon visage, je l'embrasse à pleine bouche pour ne pas lui hurler que je ne le mérite pas et ne pas lui avouer que je me suis fait passer pour une autre ; que Tania, c'était moi.

Il me repousse légèrement et essuie mes larmes avec son pouce.

– Fak c'est ça. J't'aime.

– Moi aussi !

Il interrompt le baiser passionné qui suit :

– Maintenant que j'ai dit tout ça, on peut-tu plus jamais en parler ?

Si ma vie était un livre, il pourrait se terminer maintenant.

(K)

De: Émilie
À: Moi
Date: Lundi 29 décembre
À: 15:15

J'arrive tantôt. On se voit demain?

De: Moi
À: Émilie
Date: Lundi 29 décembre
À: 15:17

Pourquoi pas ce soir? J'ai PLEIN de trucs à te raconter!

De: Émilie
À: Moi
Date: Lundi 29 décembre
À: 15:17

Je vais être crevée et je dois défaire mes bagages et tout...

De: Moi
À: Émilie
Date: Lundi 29 décembre
À: 15:18

O.K. À demain, alors!

– Et c'était comme t'avais imaginé ? me demande Mehdi quand je lui raconte (sommairement) ma nuit de Noël avec Kevin.

– C'était MIEUX que ce que j'avais imaginé !

– Ah… parce que, parfois, on pense à un truc tout le temps, ça nous obsède et, quand ça finit par arriver, on se dit : « Ah, c'était juste ça, finalement ! »

– Oui mais là, non. Vraiment pas.

– Cool alors.

Je ne sais pas ce qui se passe avec Mehdi en ce moment, si je lui ai fait quelque chose ou s'il m'en veut : il n'est pas comme d'habitude. Peut-être qu'il s'est encore disputé avec son père et que ça le tourmente. Ou peut-être que ça a rapport avec son absence de l'autre fois. Avec sa maladie, certainement très grave et à coup sûr très mortelle, ou avec son autre job, certainement très lucrative et à coup sûr très cool. Je mets sur le tapis un sujet de conversation qui le requinquera à coup sûr (et moi avec) :

– Émilie est revenue de son chalet tantôt. Je vais la voir demain.

Il hausse les épaules.

C'est plus grave que je pensais.

– Mais qu'est-ce que t'as, en ce moment ? Tu me racontes plus rien, t'es de mauvaise humeur, quand je viens te voir j'ai l'air de te déranger… On dirait que t'es pas content pour moi de ce qui se passe avec Kevin…

– Mais oui, oui, je suis content ! Je suis super-content ! Tu veux qu'on ouvre un pot de crème glacée pour fêter ça ?

Bien essayé, Mehdi, mais ça sonnait tout croche. Je vais bien finir par savoir ce qui se passe avec toi...

– C'est quoi, les *bands* qu'il y a dans le jeu de ton père ? me demande-t-il.

– Bah... je sais pas, là... j'ai même pas pu toucher la manette. The Who, Black Sabbath, les Sex Pistols...

– Quelles tounes de Black Sabbath ?

– Je sais pas, là...

– *Paranoid*, je suis sûr... Je vais la mettre, on va faire semblant de jouer. Va chercher quelque chose pour faire les guitares !

C'est fou comme je l'aime quand il retrouve son enthousiasme !

Quand je reviens, armée d'un Swiffer et d'un vieux balai, Émilie est en train de s'introduire furtivement en arrière du comptoir, alors que Mehdi cherche encore le CD qui contient la chanson.

– Allo ! que je lance.

Mon effet de surprise est réussi : Émilie frôle la crise cardiaque et moi, je manque de m'étouffer de rire.

– Qu'est-ce que tu fais là ? que je réussis à formuler entre deux éclats.

– Je voulais te faire une surprise !

– Tu savais que j'étais là ?

– Ben... je m'en doutais...

Derrière elle, Mehdi est livide. Décidément, la présence d'Émilie ne lui va pas au teint.

– Bon, les filles... C'est ben le fun, tout ça, mais faudrait que je travaille, moi...

Je rassure mon ami :

– C'est bon, on va te laisser ; on a plein de trucs à se raconter entre filles, de toute façon.

– O.K., je m'en vais ranger mes bières, moi. Bye !

Le voyant pénétrer dans le frigidaire à bières, Émilie me demande :

– Il est bizarre, non ?

– Bah... C'est Mehdi. Il est toujours un peu bizarre...

– Hum !

Nous sortons du dépanneur et décidons de nous rejoindre chez moi, puisque nous sommes toutes les deux en voiture.

Lorsque je regarde dans mon rétroviseur pour vérifier si elle me suit toujours, je ne la vois pas.

Pas grave ! Elle connaît le chemin.

(K)

De: Émilie
À: Moi
Date: Lundi 29 décembre
À: 21:03

J'avais oublié mon cell au dépanneur.
J'ai dû retourner le chercher. Je suis crevée...
On se voit demain, plutôt?

Je suis sûre que c'est un prétexte pour aller voir son nouveau *chum* (duquel je ne sais toujours rien, d'ailleurs). Elle fait tout le temps ça, et ça m'énerve. Je comprends qu'elle ait envie de passer la soirée de son retour avec son amoureux, ce n'est pas la peine de me mentir !

Est-ce que je mens, moi ?

Oui, bon, d'accord, je mens un peu. Mais moi, ce n'est pas pareil.

Je n'ai pas franchi le seuil que mon père me demande :

– Salut, Princesse ! Quand est-ce que Kevin va revenir à la maison ? C'est un peu répétitif, *Rock Band*, tout seul...

– Ça te tente pas de te trouver des amis de ton âge pour jouer ? que je lui réponds en souriant.

Il hausse les épaules.

– Tu voulais que je l'aime, c'est fait, je l'aime. On est comme cul et chemise, maintenant ! Copains comme cochons ! Deux têtes sous un seul bonnet ! Invite-les donc à passer le Premier de l'an ici, son frère et lui.

– Oui, chef ! que je lui réponds.

– Super ! Tu lui diras que j'ai acheté de nouvelles chansons.

– Je vais te donner son numéro, t'auras juste à le lui dire toi-même !

– O.K., note-moi ça sur un papier, me répond-il le plus sérieusement du monde avant de retourner au sous-sol, où il a élu domicile.

Comme si j'allais donner le numéro de téléphone de mon *chum* à mon père ! Il y a quand même des limites à l'harmonie familiale !

En parlant d'harmonie familiale, quand j'arrive dans la cuisine pour me faire un en-cas, je vois que Thomas a eu la même idée que moi.

– Pourquoi t'es là ? que je lui demande.

– Toujours aussi accueillante, sœurette.

– Scuse... Je recommence. Bonjour, monsieur mon frère, bienvenue dans notre humble demeure. Que nous vaut l'honneur de votre présence ?

– Mieux. Beaucoup mieux.

J'effectue une révérence. Mon seul souvenir de mon unique cours de danse classique.

– P.O. est chez ses parents. Ça faisait con d'emmener son « coloc » pour passer la fin de semaine chez eux ! me répond-il amèrement.

– Oh... ouais... O.K.

Pas la meilleure réponse, j'avoue. Mais c'est un peu délicat de trouver LE bon truc à dire quand notre frère nous apprend que son *chum* (qui s'avère être notre prof de français, rappelons-le) n'est toujours pas sorti du placard devant sa famille.

Se rendant compte de mon malaise, mon frère reprend :

– Donc, ça fait deux jours que je mange des ramen, et j'en avais assez. Je suis venu voir ce qu'il y a de bon ici. Et toi, ça va ?

– Ouais... pas pire...

– En tout cas, papa a tripé sur ton Kevin ! Je pense que, s'il pouvait m'échanger contre lui, il le ferait ! plaisante Thomas.

Sourire forcé.

– Bon, qu'est-ce qui va pas, sœurette ?

C'est si évident que ça ?

– Ben rien... ça va bien... c'est juste que... Tu sais, mon ami Mehdi, du dépanneur... Ça fait un petit bout qu'il n'est plus pareil et ça me préoccupe. On dirait qu'il est fru après moi.

– Qu'est-ce que t'as fait ?

– Mais rien, justement ! Avant, il me parlait d'Émilie, je lui parlais de Kevin, on mangeait de la crème glacée, on niaisait, on se faisait des câlins et tout... Et, depuis une semaine ou deux, il est bizarre.

– Depuis que tu sors avec Kevin ?

– À peu près.

– Pourquoi il te parlait d'Émilie ?

– Parce qu'il est en amour avec elle.

– Ils sortent ensemble ?

– Mais non ! Tu comprends rien... Il l'aime, mais c'est un secret, ça arrivera jamais. T'imagines Émilie avec lui ?

– Ben, tu sais... avec Émilie, rien ne me surprend plus vraiment...

– Oui, mais là, non. J'ai bien dit à Émilie que je voulais pas qu'elle sorte avec lui, ça se peut pas. Elle me ferait pas ça.

– Pourquoi tu ne veux pas qu'elle sorte avec lui ?

– Mais... parce que ! C'est mon meilleur ami, et j'ai pas envie qu'elle le fasse souffrir.

– T'avais pas dit à Émilie de pas sortir avec Jonathan ?

– Non. Mais là, je l'ai dit. Alors, ça se peut pas que ce soit ça. C'est autre chose...

– Ben, peut-être qu'il est amoureux de toi et qu'il est jaloux de Kevin...

– AAAAARK ! Mais non ! T'es malade ! C'est mon ami ! On est juste amis !

– La dernière fois que je t'ai entendu dire ça, tu nous as annoncé deux jours plus tard que tu sortais avec le gars en question, je te rappelle. Va falloir que tu me trouves un autre argument que ça.

– Tu m'énerves.

Voyant qu'il tient un filon pour me tourmenter, mon frère s'infiltre dans la brèche que je viens d'ouvrir.

Un sourire moqueur peint sur le visage, il continue :

– Je ne vois que ça. Ou il est amoureux de toi ou il sort avec Émilie.

– Arrête !

– Ou alors, c'est les deux ! Ha ! ha ! ha ! Ce serait le top !

Je lui arrache son sandwich des mains et part m'enfermer dans ma chambre pour oublier les deux possibilités atroces que mon frère vient de me laisser entrevoir.

Voici ma résolution pour l'année nouvelle :

Ne plus jamais, JAMAIS, demander conseil à mon frère.

(K)

01:29 – A.n.i.t.a dit:
Est-ce que ça se peut que Mehdi sorte avec Émilie ou pas?

01:29 – Kay dit:
Tu dors pas?

01:29 – A.n.i.t.a dit:
Non. Est-ce que ça se peut ou pas?

01:30 – Kay dit:
Euh... Je sais pas, là...

01:30 – A.n.i.t.a dit:
Tu me le dirais, si tu savais quelque chose?

01:30 – Kay dit:
Pas si Mehdi m'avait demandé de me taire.

01:30 – A.n.i.t.a dit:
Et il t'a demandé de te taire?

01:30 – Kay dit:
Anita...

01:30 – Kay dit:
Débrouille-toi avec lui.

Dernier message reçu le mardi 30 décembre à 01:30

Le party de Nouvel An chez Sam s'annonçait tellement mal que j'ai décidé de laisser tomber. Moi qui me faisais une joie d'y aller accompagnée de Kevin, il aurait fallu que je compose avec Émilie, avec qui je suis fâchée et qui aurait été là. Et si elle n'y avait pas été, ça aurait voulu dire qu'elle était avec Mehdi et... Si je continue à y penser, je vais être malade.

Il fallait voir leurs têtes quand je les ai surpris tous les deux, ce matin, en passant chez Émilie (officiellement pour pouvoir profiter de toute la journée entre filles, officieusement pour vérifier si oui ou non ils sortaient ensemble) !

Il fallait voir la mienne aussi, je suppose...

– C'est quand même fou que je puisse pas être heureuse cinq minutes ! que je me plains à Kevin, allongé sur mon lit. Avec cette robe, c'est mieux ce collier-là ou celui-ci ?

Je fais des essayages pour choisir la tenue que je porterai demain pour aller dîner chez mon oncle, et on ne peut pas dire que mon amoureux soit d'une grande aide...

– C'est *nice* avec les deux... me répond-il sans se mouiller.

– Évidemment. Les chaînes argentées sont mieux, je pense... Non mais, c'est vrai ! Avant, j'avais toutes ces histoires avec toi, et maintenant que ça va bien entre toi et moi, il faut qu'Émilie sorte avec Mehdi ! Le sort s'acharne sur moi, avoue !

Kevin s'approche de moi et me serre dans ses bras en souriant.

– Toutes ces histoires avec moi ?

Il ne me prend pas du tout au sérieux.

– Tu me prends pas du tout au sérieux !

– Tu te débrouilles très bien t'seule, pour ça, se moque-t-il.

Je fais mine d'être vexée et essaie de me débattre. Il m'entraîne sur mon lit et me demande de lui raconter ce que c'était, les « histoires avec moi ». Tout ça va finir par des câlins, si ça continue, mais je n'ai pas tellement la tête à ça. J'ai encore des plaintes à formuler, du mal à dire et des essayages à faire. Surtout des plaintes. Je m'arrache des bras de mon amoureux et m'examine dans la glace.

– C'est la robe qui ne va pas, en fait. Pas le collier.

– Ôte-la, me conseille-t-il avec un air délibérément lubrique.

– Tu penses rien qu'à ça ! Donc, elle est pas correcte, la robe ?

– Pfffff... mais ouais, Anita, elle est super-correcte.

Je m'assois sur le lit à côté de lui.

– Tu sais ce qui va arriver, maintenant ? que je lui demande.

Le regard de Kevin s'allume… Je m'empresse de l'éteindre.

– Non… pas ça ! Ce qui va se passer, c'est qu'Émilie va se tanner de Mehdi, qu'elle va le laisser et qu'il va avoir le cœur brisé.

– Voyons, Anita ! On peut-tu parler d'autre chose ? Reviens-en, là ! C'est p'têt lui qui va se tanner d'elle, tu sais pas.

– GENRE il va se tanner d'elle alors que ça fait des mois qu'il y pense vingt-quatre heures sur vingt-quatre ? C'est comme si MOI, j'allais me tanner de toi.

Il sourit et m'attire vers lui.

– Ça va p'têt arriver, on sait pas.

– Ça arrivera JAMAIS !

– Et puis, p'têt que ça va marcher, entre Émilie et Mehdi aussi, on sait pas. Ça commence à faire un boutte qu'y sont ensemble, non ?

– Je vais vomir.

– Je commence à être habitué à ce que tu me vomisses dessus ! me répond-il en riant. *Come on*, Princesse. Ils sortent ensemble et puis c'est de même. Arrête donc de chialer, tu vas t'y faire !

– Si tu me parles sur ce ton, je vais t'envoyer jouer à *Rock Band* avec mon père !

– Ouin… je sais pas… Il est super-cool, Louis ; j'aime ça, discuter avec lui entre les *games*… mais ça commence à devenir difficile de pas lui dire qu'il chante mal.

Nous rions tous les deux.

Je n'ai pas besoin de meilleurs amis maintenant que j'ai Kevin.

C'est fini entre Émilie et moi, parce qu'elle n'a pas respecté ce que je lui avais demandé, et c'est aussi fini entre Mehdi et moi, parce qu'il m'a menti. Je vais démissionner du dépanneur, changer d'école... Non, pas changer d'école puisque, si je faisais ça, je ne serais plus avec Kevin ; mais je vais changer de job, ça, c'est certain.

Ou, du moins, je vais demander de ne plus avoir les mêmes quarts de travail que Mehdi, qui va être obligé de travailler avec l'infâme Jeff.

Voilà ce qui arrive quand on me ment et qu'on me cache des choses.

Mehdi et Émilie ?

Non mais, ça n'a vraiment aucun sens !

Mehdi et Émilie !

Les choses auraient dû rester comme elles étaient : Mehdi et moi dans une case, Émilie et moi dans une autre. Pas Émilie, Mehdi et moi dans la même case, et encore moins juste eux deux, sans moi, dans leur case à eux tout seuls.

Le but des cases, c'est JUSTEMENT que tout le monde ne se mélange pas avec tout le monde. Sinon, ça devient l'anarchie, et on ne sait plus qui est quoi, avec qui, comment, pourquoi...

Bref...

Émilie et Mehdi, c'est la pire idée de la terre, et je les déteste.

Surtout Mehdi.

– À quoi tu penses ? me demande Kevin, interrompant mes pensées.

– À rien... Tu sais ce qui m'embête le plus ?

– Ta robe ? tente-t-il.

– Non ; c'est que, à la limite, Émilie, je peux concevoir qu'elle agisse comme ça... C'est son genre de sortir avec un gars qui ne lui plaît même pas, juste parce que je lui ai demandé de ne pas le faire. Mais Mehdi... je pensais pas qu'il était capable de me mentir comme ça en pleine face.

– Pffff... Je commence à regretter le chant de ton père, sérieux...

– Ça se fait juste pas, cacher des trucs à son amie comme ça.

– Ouais, ben, si tu veux pas qu'on te mente, faut que tu sois prête à tout entendre. La scène que tu fais là, t'aurais fait la même affaire s'ils t'avaient annoncé qu'ils étaient ensemble.

– Non.

– Oui.

Il conclut notre désaccord par un signe de tête, qu'il ponctue d'un « hum ! hum ! ».

Si ça continue, je vais le bouder, lui aussi. Mais, comme je suis devenue sage, réfléchie, sensée, presque philosophe, je décide de faire comme s'il ne me contredisait pas et l'embrasse tendrement.

N'empêche que, s'ils m'avaient prévenue, je n'aurais pas mal réagi.

Ou peut-être que oui, mais j'aurais eu raison.

(K)

10:17 – A.n.i.t.a dit :
Vous venez manger ce midi, P.O. et toi ?

10:17 – Thomas – Cuba si ! dit :
Je sais pas... je me suis pas encore couché...

10:17 – A.n.i.t.a dit :
Gros party hier soir ?

10:18 – Thomas – Cuba si ! dit :
T'as pas idée...

10:18 – Thomas – Cuba si ! dit :
Mais bon, on va certainement venir pareil ; maman a vraiment insisté.

10:18 – Thomas – Cuba si ! dit :
Pis vu qu'on part ce soir à 11 h, on pourra pas venir après.

10:18 – A.n.i.t.a dit :
Chanceux !

10:19 – A.n.i.t.a dit :
Vous avez fait vos valises ?

10:19 – Thomas – Cuba si ! dit :
P.O., oui. Moi, une serviette, un maillot, et je suis prêt à prendre l'avion !

Dernier message reçu le jeudi 1er janvier à 10:19

5, 4, 3, 2, 1...

La nouvelle année a commencé sans qu'on s'en aperçoive. Matthias dormait depuis quelques heures avec Antoine dans l'ancienne chambre de Thomas, et mes parents étaient partis célébrer le Nouvel An chez des amis.

Peut-être que le décompte de minuit a eu lieu pendant que nous jouions à *Rock Band* (mais ça m'étonnerait, parce que nous n'avons pas joué longtemps... je suis vraiment poche à ce jeu) ou peut-être que nous étions en train de nous faire cuire des pâtes. Ou le Premier de l'an est peut-être arrivé lorsque nous faisions l'amour ou pendant que nous écoutions de vieilles tounes en silence... Une chose est sûre, il est arrivé à point.

À l'heure de nous.

Quand je me suis rendu compte que nous étions déjà le lendemain, j'ai pensé à Mehdi... avant de me souvenir que je le détestais. J'ai espéré qu'il n'avait pas demandé à travailler de nuit pour le Nouvel An (il hait les fêtes). Je n'aurais pas trouvé ça cool qu'il soit tout seul... si je l'avais aimé encore. J'ai embrassé Kevin pour lui souhaiter une bonne année, pour me remplir du bonheur d'être avec lui et pour évacuer le chagrin de ne pas être avec Mehdi.

Ce matin, Thomas et P.O. nous rejoignent pour bruncher. Du moins, la carcasse de Thomas est avec nous. Mais, maintenant que je sais ce qu'est un lendemain de veille, je ne me moquerai plus jamais de son état comateux.

La famille est réunie autour de la table : papa essaie de découper l'énorme pièce de viande, maman se prépare à nettoyer le dégât, P.O. regarde amoureusement le fantôme de mon frère, Antoine quémande un morceau de n'importe quoi tant que ça se mange, Kevin et Matthias sont à l'aise comme s'ils avaient toujours été là… Ce serait peut-être le moment de demander à mes parents s'ils accepteraient de les adopter. Après tout, une bouche et demie de plus à nourrir, ce n'est pas la fin du monde.

Mais… est-ce qu'on peut sortir avec son frère, s'il est adopté ?

Je vais mettre cette idée de côté le temps que je vérifie. On ne sait jamais.

Mes parents sont un peu bizarres, aujourd'hui. Eux aussi doivent avoir trop fait la fête hier soir.

Après nous avoir servi un morceau de gâteau au chocolat, ma mère nous apprend d'un ton solennel qu'elle et mon père ont une annonce à nous faire.

Ça y est, ils divorcent ! Ils vont s'entre-déchirer comme la mère d'Émilie et tous ses ex-maris ; mon père va sortir avec une fille de mon âge, ma mère va faire semblant d'essayer de se suicider, commencer à sortir dans les bars… peut-être même devenir comme la mère de Kevin ! Je vais avoir deux maisons, et ce sera trop de logistique compliquée et de choses auxquelles penser. Finalement, comme mon père aura une pension alimentaire faramineuse à payer, je ne pourrai pas faire d'études poussées et je me ramasserai à travailler toute ma vie au dépanneur, sans Mehdi, puisqu'il sera parti vivre quelque part de mieux qu'ici avec Émilie.

J'ai envie de vomir.

Ça va être atroce.

Ah, j'en ai mal au ventre ! Moi qui pensais que mes parents s'aimaient encore et s'aimeraient toute leur vie... C'est fou à quel point je suis naïve !

Nous vivons, en ce moment, notre dernier brunch du jour de l'An.

– Les enfants, je suis enceinte.

J'ai vomi.

epizzod

DANS LE PROCHAIN ÉPISODE

Quand j'ai su que Mehdi et Émilie sortaient ensemble, je me suis dit que c'était le pire qui pouvait arriver. Et voilà que ma mère nous sort son annonce coup-de-poing! Non, mais... Un BÉBÉ! Ma vie va en être complètement bouleversée. Est-ce que les choses peuvent aller encore plus mal? Qu'est-ce que le sort va encore trouver pour s'acharner sur moi?

EN VENTE PARTOUT
LE 9 NOVEMBRE 2009

(k)

Sophie Bier

LA DISCUSSION DE L'HEURE

Selon toi, quels seraient l'endroit et le moment idéaux pour une « première fois »

epiz

LES SÉRIES LES AUTEURS CAPSULE

enu blogue !

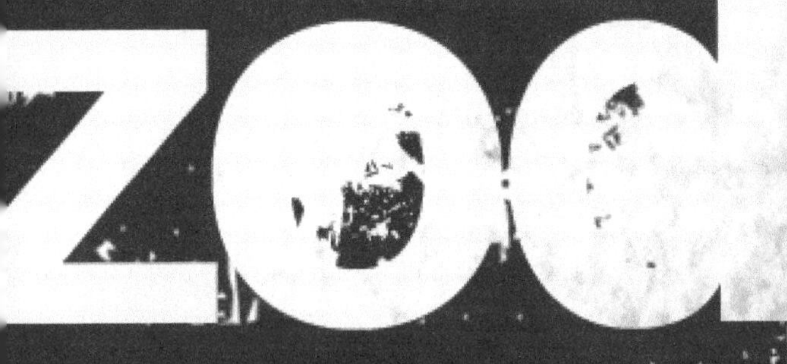

.COM

VÉNEMENTS

CONCOURS

MARIE HÉLÈNE POITRAS
EPIZZOD.COM
NUMÉRO 01 | 11 MAI 2009
Rock&Rose
NOUVEAU DÉPART
epizzod
9 782896 511365

epizzod
.COM

Sophie Bienvenu

Sophie Bienvenu est une fille, une jeune fille ou une femme, selon son humeur. Elle possède un chien, des draps roses et un sofa trop grand pour son appartement. Après avoir suivi une formation en communication visuelle dans une prestigieuse école parisienne, elle a décidé d'exercer tous les métiers possibles jusqu'à ce qu'elle trouve sa vocation. C'est en 2006, lors de la parution de *Lucie le chien,* que Sophie Bienvenu a décidé de devenir une auteure (idéalement célèbre et à succès) ou du moins d'écrire des histoires qui plaisent aux gens. Dans sa série *(k),* elle dépeint des jeunes évoluant sur fond d'amour, d'humour, de drame et de fantaisie.

Salgood Sam

Au début des années 1990, Salgood Sam fait de la bande dessinée et de l'animation tout en pratiquant d'autres formes d'art. Depuis l'an 2000, il se livre aussi à l'écriture, au « blogging » ainsi qu'au « podcasting ». Il a publié plus d'une trentaine de titres de bandes dessinées chez Marvel et DC Comics, et a été finaliste dans la catégorie « talent émergent » à l'occasion de la première édition des prix Doug Wright en 2005. En 2008, il a collaboré avec l'auteur et éditeur Jim Monroe à la publication du roman graphique *Therefore Repent.* En 2009, plusieurs de ses nouvelles paraîtront dans les anthologies *Comic Book Tattoo* et *Popgun 3.* La publication de *Revolver R* est également prévue pour octobre 2009. *(k)* est la première collaboration de Salgood Sam avec la courte échelle.

Les éditions de la courte échelle inc.
5243, boul. Saint-Laurent
Montréal (Québec) H2T 1S4
www.courteechelle.com

Direction littéraire : Julie-Jeanne Roy

Révision : Leïla Turki

Direction artistique : Jean-François Lejeune

Infographie : D.Sim.Al

Dépôt légal, 4e trimestre 2009
Bibliothèque nationale du Québec

La courte échelle reconnaît l'aide financière du gouvernement du Canada par l'entremise du Programme d'aide au développement de l'industrie de l'édition pour ses activités d'édition. La courte échelle est aussi inscrite au programme de subvention globale du Conseil des Arts du Canada et reçoit l'appui du gouvernement du Québec par l'intermédiaire de la SODEC.

La courte échelle bénéficie également du Programme de crédit d'impôt pour l'édition de livres – Gestion SODEC – du gouvernement du Québec.

Catalogage avant publication de Bibliothèque et Archives nationales du Québec et Bibliothèque et Archives Canada

Bienvenu, Sophie

À l'heure de nous

((K) ; épisode 11)
(Epizzod)
Pour les jeunes de 14 ans et plus.

ISBN 978-2-89651-159-4

I. Sam, Salgood. II. Titre. III. Collection : Bienvenu, Sophie. (K) ; épisode 11. IV. Collection : Epizzod.

PS8603.I357A714 2009 jC843'.6 C2009-942105-4
PS9603.I357A714 2009

Imprimé au Canada

DANS LA MÊME SÉRIE

(k) épisode 1
Princesse dans le caniveau

(k) épisode 2
Le dép' éclaire à des milles à la ronde

(k) épisode 3
Ce genre de fille-là

(k) épisode 4
Mon soldat inconnu

(k) épisode 5
Pourquoi pas ?

(k) épisode 6
Au sud de mon ventre

(k) épisode 7
Des amis et des hommes

(k) épisode 8
Des lendemains qui tanguent

(k) épisode 9
La multiplication des voyelles

(k) épisode 10
Son nombril et le monde autour

(k) épisode 11
À l'heure de nous

(k) épisode 12
Je ne me suis pas tuée
parution le 9 novembre 2009